HISTOIRES DRÔLES

Tome 2

Texte: Dominique Chauveau

Illustration de la couverture:
Philippe Germain

Les Éditions Héritage Inc.

Données de catalogage avant publication (Canada)

Chauveau, Dominique

Histoires drôles
ISBN: 2-7625-6641-X (v.2)
1.Humour canadien-français - Ouvrages pour
la jeunesse. I. Titre.
PN6178.C3C52 1991   JC848'.5402   C91-09365-7

HISTOIRES DRÔLES No 2

Conception graphique de la couverture : Philippe Germain

Photocomposition : Reid-Lacasse

Dépôts légaux: 1er trimestre 1991
Bibliothèque nationale du Québec
Bibliothèque nationale du Canada

ISBN: 2-7625-6641-X   Imprimé au Canada

LES ÉDITIONS HÉRITAGE INC.
300, Arran, Saint-Lambert, Québec J4R 1K5
(514) 875-0327

*À Simon et à tous ceux qui,
comme lui, aiment les blagues
pour les raconter à leurs amis.*

Un homme tombe en bas de la tour du CN. En s'écrasant au sol, il est complètement chauve. Deux heures plus tard, ses cheveux tombent doucement du haut de la tour. Pourquoi?

Réponse : Il a utilisé une lotion qui retarde la chute des cheveux.

* * *

— Papa, papa, crie Julien en arrivant chez lui. Le problème que tu m'as fait hier soir, il était complètement faux.

— J'ai donc eu zéro? demande le père.

— Oui, mais ne t'en fais pas. Les autres pères non plus n'avaient pas trouvé la bonne réponse.

* * *

— Docteur, docteur, je viens d'avaler cinq boules de billard rouges, trois roses et deux noires!

— Manges-en des vertes et tout ira bientôt mieux.

* * *

Un extraterrestre se lève du mauvais pied. Où est mon déjeuner? Où sont mes chaînes? Où sont... Où sont..

— Un instant, répond madame extraterrestre. Tu ne vois pas que j'ai juste quatre mains?

* * *

Un peintre rencontre un berger avec ses moutons.

— Est-ce que je peux peindre tes moutons?, demande-t-il au berger.

— Non, répond celui-ci. Je ne pourrai pas vendre leur laine.

***

Un fou rit tout seul.

— Pourquoi tu ris comme ça? lui demande un autre fou.

— Parce que je me raconte des histoires drôles, et je viens de m'en raconter une que je ne connaissais pas.

***

— Je ne sais plus quoi faire, je vois des points noirs toute la journée.
— Tu as vu ton oculiste?
— Non, juste des points noirs.

* * *

— Maman, je peux regarder l'éclipse de Soleil?
— Oui, mais fais bien attention de ne pas te brûler!

* * *

Tu connais l'histoire du lit vertical?
C'est une histoire à dormir debout.

* * *

Un morceau de sucre a le coup de foudre pour une petite cuillère.
— Où pourrions-nous nous rencontrer? lui demande-t-il.
— Dans un café, lui répond la petite cuillère.

* * *

Luc demande à un copain :
— Qu'est-ce que ça veut dire «I don't know»?
— Je ne sais pas, de répondre le copain.

* * *

Un fou sort une boîte d'allumettes de sa poche. Il en gratte une qui ne s'allume pas. Il en gratte une deuxième, une troisième, enfin la quatrième s'allume.

— Ah! celle-là, je peux la garder, s'exclame-t-il en la remettant dans la boîte.

* * *

Un gars veut tuer tout le monde. Lorsqu'il a terminé et qu'il se retrouve seul sur Terre, le diable fait son apparition.

— Mais tu as oublié quelqu'un, lui dit-il. Et toi?

— Oh! moi, lui répond le gars, je ne suis pas humain.

* * *

Quel est le résultat d'un examen de la vue d'un Martien qui n'a aucun problème avec ses yeux?
20-20-20-20-20-20,-etc.

* * *

Un professeur demande :

— Philippe, parle-moi d'Archimède.

— C'est un savant, répond fièrement Philippe. Un grand savant! Un jour, il prenait son bain et il a crié «Eureka! Eureka!».

— Et que veut dire «Eureka»? demande le professeur.

— Euh... ça veut dire «j'ai trouvé!».

— Et qu'est-ce qu'il avait trouvé? poursuit le professeur.

— Ben... le savon, monsieur.

* * *

Un fou se promène avec sa brosse à dents au bout d'une laisse.

— Ça va bien, toi et ton chien? lui demande l'infirmière en passant.

— Mais ce n'est pas un chien, répond le fou en haussant les épaules. Tu vois bien que c'est une brosse à dents.

L'infirmière n'en revient pas.

Le fou se tourne alors vers sa brosse à dents :

— On l'a bien eue, hein, Arthur! lance-t-il.

* * *

— Vous n'avez pas vu le feu rouge? demande le

9

policier furieux à une dame riche.

— Oh! vous savez, répond-elle d'une voix dédaigneuse, quand on en a vu un, on les a tous vus!

* * *

Un fou veut sauter d'un avion en plein vol. Il regarde dehors et s'aperçoit qu'il pleut.

— Oh non! s'écrie-t-il. Il pleut! Donnez-moi un parachute, s'il vous plaît.

* * *

— Tes vacances se sont bien passées, Léon?

— Pas vraiment, on m'a amputé d'une jambe.

— Comment ça?

— J'étais fatigué de nager, alors j'ai fait la planche et j'ai rencontré un poisson-scie.

* * *

Le lapin : Je suis bien content de ne pas être un oiseau. Je pourrais me blesser.

La souris : Pourquoi dis-tu ça?

Le lapin : Je ne sais pas voler.

* * *

Qu'est-ce qu'un garçon lunaire propose à une

fille lunaire?

— Sortons un peu. La Terre est tellement belle ce soir.

* * *

À la pouponnière, deux bébés font connaissance :

— T'es un garçon ou une fille? demande l'un d'eux.

— Ben, j'sais pas, répond l'autre.

— Attends, j'vais t'le dire tout de suite, fait le premier.

Il soulève les draps et annonce :

— T'es une petite fille!

— Comment tu le sais?

— C'est facile, t'as des chaussettes roses.

* * *

Un fou démêle un écheveau de laine. Un autre fou s'approche de lui :

— Ne cherche pas le bout, lui dit-il. Je l'ai coupé.

* * *

— Docteur, docteur, j'ai l'impression d'être une pomme.

— Approche, n'aie pas peur, je ne te mordrai pas!

* * *

11

Un jeune phoque est très paresseux. Il refuse de jongler. Sa mère lui dit à l'oreille :

— Écoute, tu dois prendre une décision. Ou tu deviens jongleur, ou tu deviens fourrrure.

* * *

Connaissez-vous l'histoire du bègue qui a le hoquet?

Je vous la raconterai un peu plus tard; elle est interminable.

* * *

Deux fleurs se font une déclaration d'amour.

— Tu ne peux pas savoir comme je t'aime, dit la première.

— Et moi aussi, répond la deuxième. Si on appelait une abeille.

* * *

Quel est l'animal le plus rapporteur?

Le cheval, parce que cheval le dire à ma mère...

* * *

Une élève rentre de l'école et demande à son père :

— Papa, tu connais la dernière?

— Non, répond son père.

— Eh bien, c'est moi!

* * *

Un géant rentre de l'école avec un mauvais bulletin.

— Va chercher l'échelle, lui dit son père, que je te donne une gifle.

* * *

Un professeur corrige les examens. Soudain, il trouve des feuilles blanches.

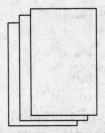

— Tiens, s'écrie-t-il. Vincent a encore fait l'école buissonnière!

* * *

Deux fous se promènent avec des casseroles sur la tête en guise de chapeau.

— Comme c'est lourd, dit le premier.

— Oh oui! répond l'autre. On devrait faire des casseroles en paille pour l'été.

* * *

Une maman cannibale réprimande son enfant.

— Combien de fois faudra-t-il que je te dise de ne pas parler avec quelqu'un dans la bouche?

* * *

Deux tomates traversent la route. L'une d'elles se fait écraser par un camion.

— Alors, lui dit l'autre, qu'est-ce que tu attends? Tu viens, ketchup?

* * *

— Papa, j'ai tué un chat.

— Mais comment as-tu fait?

— Il était tout sale et j'ai voulu le laver.

— Je t'avais pourtant dit que les chats n'aiment pas l'eau.

— Mais il n'est pas mort quand je l'ai lavé; il est mort quand je l'ai tordu pour le faire sécher.

* * *

Une femme entre dans un magasin de chaussures et demande les souliers les plus plats qu'ils aient.

— C'est pour porter avec quoi? lui demande le vendeur.

— Avec un tout petit mari, répond la dame.

* * *

— Je voudrais une chemise lilas, demande le client.

Le vendeur lui présente une chemise lilas.

— Non, répond le client. Ce n'est pas une chemise lilas. J'en veux une comme celle qui est dans la vitrine.

— Mais elle n'est pas lilas, lui dit le vendeur, elle est blanche.

— Eh bien! répond le client, vous n'avez jamais vu de lilas blanc?

* * *

Quelle heure est-il? demande un fou à un autre.

— Moins dix.

— Moins dix de quoi?

— Je ne sais pas, j'ai perdu la petite aiguille.

* * *

Un coiffeur rase un cul-de-jatte.

— Je vous coupe les pattes? demande le coiffeur.

— Non mais, fait le cul-de-jatte insulté, vous voulez mon pied au cul?

— Soyez pas fâché, répond le coiffeur. C'était pour vous faire marcher.

* * *

Un grand acteur rencontre une grande actrice. Il lui parle de lui; elle lui parle d'elle. Chacun d'eux a le coup de foudre pour lui-même et ils font un grand mariage d'amour.

* * *

— Quelle horreur, s'écrie le coq de la basse-cour en inspectant son territoire. Un oeuf en porcelaine. Qui a fait ça?

— C'est moi, répond une petite poule. J'avais tellement envie de jouer à la poupée!

* * *

Une dame se promène à cheval dans le bois. Elle croise un lapin.

— Bon matin, lui dit le lapin.

Après un moment de stupéfaction, la dame s'exclame :

— Je ne savais pas que les lapins pouvaient parler.

— Moi non plus, lui répond son cheval.

* * *

Comment un extraterrestre fait-il pour compter jusqu'à 19?

En se servant des doigts d'une de ses mains.

* * *

Un adolescent demande à un autre des nouvelles d'un ami commun.

— Qu'est-ce qu'il devient?

— Il travaille!

— Il travaille, fait le premier. Il n'a donc rien à faire?

* * *

Un fou met de l'insecticide dans son bain de pieds.

— Pourquoi fais-tu ça? lui demande un autre fou.

— Ben, parce que j'ai des fourmis dans les jambes, lui répond le premier.

* * *

17

— Pourquoi claques-tu des doigts de la sorte?

— Pour éloigner les extraterrestres.

— Les extraterrestres? Mais je n'en vois aucun.

— Ça marche bien, non.

* * *

Une crevette rencontre une autre crevette.

— C'est horrible, lui dit-elle. Vous a-t-on déjà dit que vous sentiez le doigt?

* * *

— Tu préfères ton frère ou ta soeur? demande un professeur à un petit cannibale.

— Je ne sais pas, répond ce dernier. Quand maman fait la cuisine, elle mélange tout.

* * *

Le taureau et le hibou sortent ensemble. À quatre heures du matin, le taureau explique au hibou qu'il doit rentrer.

— Tu comprends, lui dit-il, ta femme est chouette, mais la mienne...

* * *

Une pomme regarde une poire et soupire tristement :

— La pauvre! Quand elle est née, il y a quelque chose qui ne tournait pas rond.

* * *

Un Inuit s'impatiente devant son igloo. Soudain, il sort son thermomètre de sa poche, le regarde et s'exclame :

— Si elle n'est pas là à moins trente, je m'en vais.

* * *

— Docteur, docteur, je pense que je suis invisible!
— Qui me parle?

* * *

Un fou se passe une corde autour de la taille et se suspend à un arbre.

— Mais non, lui dit un autre fou, c'est autour du cou qu'il faut la mettre si tu veux te pendre.

— J'ai bien essayé, lui répond le premier fou, mais je manquais d'air.

* * *

Qu'est-ce qu'un cannibale?
Quelqu'un qui entre dans un restaurant et de-

mande un garçon.

***

Un voleur est poursuivi par plusieurs policiers. Il grimpe sur le toit d'un édifice, perd pied et tombe. Alors il sécrie :

— Arrêtez-moi, je suis un voleur!

***

Quelle étoile porte des lunettes de soleil et conduit une Porsche?

Une étoile de cinéma.

* * *

Une petite fourmi rencontre une grosse fourmi et lui dit :

— Mais toi, alors, tu es fourmidouble!

* * *

Un ivrogne s'arrête devant une immense affiche : Méfiez-vous, lit-il, l'alcool tue lentement.

Il s'éloigne en haussant les épaules et soupire :

— Je m'en fous! Je ne suis pas pressé...

* * *

Deux fous passent devant un camp de nudistes. Un des fous demande à l'autre de lui faire la courte échelle pour voir ce qu'il y a de l'autre côté du mur.

— Alors, qu'est-ce que tu vois? lui demande son ami.

— Des gens tout nus.

— Des hommes ou des femmes?

— Je ne sais pas, ils ne sont pas habillés.

* * *

21

Un oignon se promène au bord de la rivière et s'arrête devant un saule pleureur.

— Mon Dieu! s'exclame-t-il, j'espère que je n'y suis pour rien.

***

Un aveugle, à qui l'on vient d'offrir une râpe à fromage, pleure :

— Je n'ai jamais lu un livre aussi triste.

***

Une femme entre au supermarché. Elle ne se sent pas bien et s'assoit sur une caisse remplie de boîtes d'oeufs.

— Ça ne va pas bien, soupire-t-elle. Je dois couver quelque chose!

***

Julien va chez le fleuriste et lit sur une affiche : Dites-le avec des fleurs.

— Je voudrais des fleurs artificielles, demande-t-il. C'est pour un mensonge.

***

Deux microbes se rencontrent.

— Quelle sale tête tu as, dit le premier.

— Je sais, répond l'autre. Je suis malade.

— Qu'est-ce que tu as?

— J'ai attrapé la pénicilline.

* * *

Un tire-bouchon demande à un médecin :

— Docteur, est-ce que c'est normal, dès que je suis près d'une bouteille, j'ai la tête qui tourne.

* * *

Un chamois raconte à un autre chamois qu'il a fait un rêve horrible.

— Un vrai cauchemar, dit-il. J'ai rêvé que j'essuyais des lunettes...

* * *

— Docteur, j'ai mangé des huîtres pour la première fois et, depuis, j'ai des douleurs à l'estomac.

— Elles ne devaient pas être fraîches. Vous auriez dû les sentir en les ouvrant.

— Ah, parce qu'il fallait les ouvrir!

* * *

Un cosmonaute martien rentre chez lui avec un

poste de télévision sous le bras, après avoir fait une petite visite sur Terre.

— J'ai pas pu capturer de Terriens, dit-il à ses chefs, mais j'ai beaucoup mieux! J'ai ramené un de leurs dieux.

* * *

Un fou se promène en traînant une laisse derrière lui. Il arrête un piéton sur le trottoir.

— Vous n'auriez pas croisé l'homme invisible, par hasard?

— Non, répond l'homme.

— Eh bien! si vous le croisez, dites-lui que j'ai retrouvé son chien.

* * *

Une passagère, à bord d'un paquebot, fait venir le plombier de service parce que sa baignoire fuit.

Le plombier examine les tuyaux et les robinets. Après un moment, il déclare :

— Ça ne vient pas de la baignoire, c'est le bateau qui coule.

* * *

Un hibou dit à une chouette :

— Allez, je vous amène. On fait la tournée des

grands-ducs.

* * *

Un écrou, amoureux d'une clé anglaise, lui dit passionnément :
— Serre-moi plus fort, ma chérie!

* * *

Un perroquet installé à la porte de l'édifice s'écrie, chaque fois que quelqu'un entre :
— Attention à la marche!
Et tout le monde se casse la figure parce qu'il n'y a pas de marche.

* * *

25

— Ça fait longtemps que vous vous imaginez être une poule? demande le psychiatre à la dame qui est assise devant lui.

— Eh bien! docteur, lui répond-elle, depuis que je suis un tout jeune poussin.

* * *

Comment faut-il parler à un Martien géant?
Avec des grands mots.

* * *

— Garçon, votre salade niçoise est délicieuse, mais dites-moi, vos olives noires ont-elles des pattes?

— Mais non, monsieur.

— Alors, je viens d'avaler un cafard.

* * *

Qu'est-il advenu de l'homme qui restait en face du cimetière?

Maintenant, il reste en face de chez lui.

* * *

Pourquoi une femme met-elle plus de temps à s'habiller qu'un homme?

Parce qu'elle doit ralentir dans les courbes.

* * *

Michel revient de l'école avec son bulletin. Des zéros partout.

— Quelle excuse vas-tu encore me donner? soupire sa mère.

— Eh bien! j'hésite entre l'hérédité et l'environnement familial.

* * *

27

Un zèbre part à la découverte du monde. Il voit une vache dans un pré et lui demande :

— À quoi tu sers, toi?

— Je fais du lait, répond la vache.

Le zèbre poursuit son chemin et rencontre un mouton.

— À quoi tu sers, toi? lui demande-t-il.

— Moi, je fais de la laine, répond le mouton.

Le zèbre s'en va tout joyeux et rencontre un cheval.

— À quoi tu sers? lui demande-t-il.

— Enlève ton pyjama, lui répond le cheval, je vais te montrer.

* * *

— Le dessin sur le beurre est très beau, mais il y a un cheveu.

— Pas étonnant, répond le garçon, je l'ai fait avec mon peigne.

* * *

Deux adolescentes discutent de leur père.

— Mon père gagne sa vie avec sa plume, il est écrivain, dit la première.

— C'est drôle, répond la deuxième, le mien aussi. Il passe ses journées à rédiger des contraventions.

* * *

Un homme fait un voyage en Amazonie. Il ne peut résister à l'envie de se baigner.

— Y a-t-il des crocodiles? demande-t-il au garde forestier qui arrive sur les lieux.

— Oh non! lui répond ce dernier. Vous pouvez encore vous baigner. Il n'y en a plus depuis que les requins les ont mangés.

* * *

— Qu'est-ce que l'eau? demande un professeur de chimie à son élève.

— L'eau, répond l'élève, c'est un liquide incolore qui devient noir dès qu'on met les mains dedans.

* * *

— Garçon, voulez-vous m'apporter un cure-dents?

— Nous n'en avons pas, monsieur, mais on peut vous servir un sandwich au cactus si vous le désirez.

* * *

Un peintre dit à un autre peintre qui est en haut d'une échelle :

— Tiens bien ton pinceau, j'enlève l'échelle.

Il enlève effectivement l'échelle et, à sa grande surprise, le peintre ne tombe pas.

— Comment ça se fait? s'étonne-t-il.

— Oh! tu sais, lui répond le peintre, je le savais, on m'a déjà fait le coup.

* * *

Le grand-père de Marc a toujours gardé précieusement ses jouets pour le jour où il retomberait en enfance.

* * *

— Ça, c'est une comète.

— Une quoi?

— Une comète. Tu ne sais pas ce que c'est?

— Non.

— Tu n'as jamais entendu parler d'une étoile avec une queue?

— Oh! oui, Mickey Mouse.

* * *

— Docteur, je m'endors tout le temps. Même au travail, je m'endors.

— Quel métier exercez-vous?

— Je travaille à l'abattoir.

— Ah! vous assommez des boeufs?

— Non, des moutons. Et je ne les assomme pas, je les compte.

* * *

Deux prêtres discutent entre eux.

— Vous croyez qu'on verra le mariage des prêtres avant de mourir?

— Pas nous, répond l'autre prêtre, mais nos enfants le verront.

* * *

Il met trois jours pour sortir de la chambre, quatre jours pour descendre l'escalier, deux jours et demi pour traverser le vestibule et six jours pour arriver à la grille du jardin. Il arrive dans la rue quand la maison s'écroule entièrement.

— Ouf! soupire-t-il. Je suis parti juste à temps.

* * *

— Garçon, avez-vous des cuisses de grenouilles?

— Oh! non, monsieur. Ce sont mes rhumatismes qui me donnent cette démarche.

* * *

Une histoire d'amour pour faire réfléchir les mathématiciens :

Deux parallèles s'aimaient, hélas!...

* * *

Un petit cannibale voit un hélicoptère dans le ciel.

— Maman, demande-t-il. Qu'est-ce que c'est? Ça se mange?

— Oui, répond sa mère. Mais c'est comme le homard, faut d'abord le décortiquer.

* * *

Après la remise des trophées, un père dit à son fils :

— Comment, tu n'as rien remporté?

— Oh! non, répond le fils. Tu sais, je suis comme maman. Je déteste porter des paquets dans la rue.

* * *

— Docteur, confie un clown à son médecin, il y a des jours où je me sens tout drôle.

* * *

— Si tu n'es pas sage, dit la maman chameau à son petit, tu n'auras pas de désert.

* * *

Quel rayon pèse le moins lourd?
Un rayon de lune.

* * *

— Antoine, peux-tu me dire combien de temps Adam et Ève sont restés au paradis?
— Jusqu'au quinze septembre.
— Pourquoi?
— Parce que, avant, les pommes n'étaient pas mûres.

* * *

Une souris toute jeune voit une chauve-souris pour la première fois.
— Regarde maman, s'exclame-t-elle. Un bel ange!

* * *

Qu'est-ce qu'un conseil?

C'est ce que les gens vous demandent quand ils veulent que vous soyez de leur avis.

* * *

— Pierre, si tu es sage, tu iras au ciel et si tu n'es pas sage, tu iras en enfer.

— Et qu'est-ce que je dois faire pour aller au cirque?

* * *

Un enfant est assis sur un de ses amis pour l'empêcher de se relever.

— Que se passe-t-il? demande le directeur.

— Il m'a donné un coup de poing dans l'oeil, se plaint le garçon.

— Et tu le lui as rendu? veut savoir le directeur.

— Non, monsieur.

— Ah bon! Tu ne lui as pas rendu son coup de poing? s'étonne le directeur.

— Non. Ma mère veut que je compte jusqu'à cent avant de me mettre en colère.

— Et pourquoi empêches-tu ton copain de s'en aller?

— Je veux qu'il soit encore là quand j'aurai fini de compter!

* * *

— Garçon, apportez-moi un bifteck gazouillis.

— Pardon, monsieur?

— Je vous demande un bifteck gazouillis. Vous ne savez pas ce que c'est?

— Je n'ai jamais entendu ça, monsieur.

— Mais c'est un bifteck cuit, cuit, cuit, voyons.

* * *

Deux cannibales aperçoivent un chasseur de fauves qui dort dans son sac de couchage.

— Regarde comme nous avons de la chance, dit l'un d'eux. Notre déjeuner au lit.

* * *

Comment accueille-t-on un extraterrestre à deux têtes?

— Bonjour, bonjour.

* * *

Un sourd s'assoit sur un banc, dans un parc.

— Faites attention, lui dit un gardien, ce banc vient juste d'être repeint.

— Comment? demande le sourd.

— En vert, répond le gardien.

* * *

Un ogre rentre chez lui. Il appelle sa femme et lui dit :

— Je suis affamé. Apporte-moi un pâté de maisons.

* * *

— Garçon, c'est du bouillon de poulet, ça?
— En fait, c'est du bouillon de très jeune poulet.
C'est l'eau dans laquelle on a fait cuire des oeufs durs.

* * *

Qu'est-ce qui est blanc, qui a de longues oreilles, des moustaches et seize roues?
Deux lapins en patins à roulettes.

* * *

Connais-tu la blague sur le Soleil?
Elle est au-dessus de ta tête.

* * *

— Papa, veux-tu faire mes devoirs pour moi?
— Non, ce ne serait pas correct.
— Tu pourrais au moins essayer!

* * *

— Docteur, mon fils pense qu'il est une poule.
— Depuis combien de temps?
— Ça fait environ 2 ans.
— Pourquoi n'êtes-vous pas venu me voir avant?
— On avait besoin des oeufs.

* * *

Qu'est-ce que la rhubarbe?
Du céleri ayant une pression sanguine trop élevée.

* * *

Qu'est-ce qui voyage le plus vite, entre le chaud et le froid?
Le chaud parce qu'on peut facilement attraper froid.

* * *

— Bonjour opératrice, j'aimerais parler au roi de la jungle.
— Je suis désolée, mais le lion est occupé.

* * *

— Raconte-moi l'histoire de la fille qui s'est décoloré les cheveux, s'il te plaît.
Non, je ne raconte jamais d'histoires sans couleur.

* * *

Ma cave est tellement humide que, lorsque j'installe un piège à souris, j'attrape un poisson.

* * *

— Comment va ta vue, grand-mère?

— Oh! très bien. J'arrive à lire sans journal maintenant.

* * *

— Vas-tu à la fête?

— Non, sur la carte d'invitation, on précise de 3 à 6 et j'ai 7 ans.

* * *

— Papa, où es-tu né?

— À Montréal

— Et maman?

— À Québec

— Et moi?

— À Sherbrooke

— C'est tout de même étonnant qu'on se soit rencontrés, tous les trois.

* * *

— Aïe, mes nouvelles chaussures me font mal.

— Pas surprenant, tu t'es trompé de pieds.

— Mais je n'en ai pas d'autres...

* * *

Le vendeur à une petite fille devant une maison :

— Dis-moi, est-ce que ta mère est à la maison?

— Oui, répond la fillette.

Le vendeur sonne et personne ne répond.

— Tu m'as pourtant dit qu'elle est à la maison.

— Oui, répond la fillette, mais je ne demeure pas ici.

* * *

— Quel était cet appel?

— Oh! rien, quelqu'un qui disait que c'était un appel interurbain de Tokyo et je lui ai dit qu'il avait raison.

* * *

Un garde forestier crie à l'homme qui se baigne dans le lac :

— Vous n'avez pas vu la pancarte? C'est interdit de se baigner.

— Je ne me baigne pas, je me noie, répond l'homme.

— Ah! bon, répond le garde forestier. Alors faites!

* * *

Le professeur n'est pas content.

— Pourquoi n'as-tu pas fait ton devoir? demande-t-il à son élève.

— Mais je n'ai pas eu le temps, répond l'élève.

— Et qu'est-ce qui t'en a empêché?

— La télévision. J'ai regardé un débat sur le thème *La télévision nuit-elle vraiment au travail scolaire?*.

* * *

— Ma tante collectionne les puces pour s'amuser.
— Et que fait ton oncle?
— Il se gratte.

* * *

— Si ce n'est pas triste de ne plus jamais voir la pleine lune de nouveau!
— Pourquoi pas?
— Parce que les astronautes en rapportent toujours un morceau avec eux.

* * *

— Docteur, je me prends pour un chien.
— Venez dans mon bureau et allongez-vous sur le canapé.
— Je ne peux pas, je n'ai pas la permission de monter sur les meubles.

* * *

— Tu essuies le café renversé avec du gâteau?
— Bien sûr, maman. C'est un gâteau-éponge!

* * *

— Allô, je suis bien à la station météorologique?
— Oui, c'est bien ici.

— Que diriez-vous d'une petite douche, ce soir?

— Nous n'y voyons pas d'inconvénient. Prenez-en une si vous en avez besoin.

* * *

— Je veux une coupe de glace à la vanille, avec de la sauce au chocolat, des noix et beaucoup de crème fouettée.

— Et une cerise sur le dessus?

— Surtout pas... je suis à la diète.

* * *

Une professeure interroge un nouvel élève.

— Combien font quinze plus dix?

— Trente-cinq, répond l'élève.

— Vingt-huit et sept?

— Quarante-six.

— Voyons encore, huit et deux?

— Quinze.

— Tu as appris à compter tout seul? lui demande-t-elle.

— Non, répond l'élève, c'est mon père qui m'a appris.

— Ah bon! Et que fait-il comme métier, ton père?

— Il est garçon de café.

* * *

— Londres est l'endroit le plus brumeux que je connaisse.

— Oh, non! je suis déjà allé dans un endroit bien plus brumeux.

— Où était-ce?

— Je ne sais pas, il y avait beaucoup trop de brouillard pour que je le sache.

* * *

Un homme achète une trappe à souris. En arrivant chez lui, il se rend compte qu'il ne lui reste plus de fromage. Alors, il décide de le remplacer par une photo de fromage. Le lendemain matin, quand il se lève, il va vérifier la trappe à souris. À la place de la photo de fromage, il trouve une photo de souris.

* * *

— Ce lanceur de couteaux est nul. Je veux être remboursé.

— Qu'est-ce qui ne va pas?

— Ça fait déjà dix fois qu'il essaie de toucher cette fille et il la rate tout le temps.

* * *

Sais-tu ce qui est arrivé au cirque des puces?

44

Un chien est passé par là et a volé le spectacle.

* * *

Pourquoi les lutteurs sont-ils si bons en géométrie?

Parce qu'ils sont habitués de tourner en rond sur un ring carré.

* * *

Quel ballet préfèrent les écureuils?

Casse-noisette.

* * *

Hélène revient de l'école.

— Maman, je n'aurai plus de cours de cuisine.

— Et pourquoi? demande sa mère.

— Parce que j'ai fait brûler quelque chose.

— Et qu'est-ce que c'était?

— La classe de cuisine.

* * *

— Et j'ai vu des éléphants, raconte une petite fille à son amie. Et tu ne devineras jamais ce qu'ils faisaient... ils ramassaient des arachides avec leur aspirateur.

* * *

Le coiffeur :

— Et comment veux-tu que je te coupe les cheveux, mon petit?

— Comme papa, avec un trou sur le dessus.

* * *

— Penses-tu vraiment que Jonas a été mangé par une baleine?

— Quand j'irai au ciel, je le lui demanderai.

— Et s'il est à l'autre endroit?

— Alors, c'est toi qui le lui demanderas.

* * *

Ce n'est pas fini! Suis-moi pour d'autres histoires comiques...

— Docteur, docteur, je viens d'avaler un rouleau de pellicule.

— Espérons tout simplement que rien ne se développe.

* * *

Connais-tu l'histoire du verre vide?
Il n'y a rien dedans.

* * *

Pourquoi le homard rougit-il?
Parce qu'il a vu la sauce à salade.

* * *

Un homme se fait arrêter pour excès de vitesse.

— Je suis désolé, monsieur, dit le conducteur. Je conduisais trop vite.

— Non, monsieur, répond le policier. Vous voliez trop bas.

* * *

— Félix, donne-moi trois bonnes raisons de dire que la Terre est ronde.

— Maman l'a dit; papa l'a dit; et vous l'avez dit aussi.

* * *

— Crois-tu qu'il y a des êtres intelligents sur Mars?

— Bien sûr qu'il y en a. Ils sont tellement intelligents que tu ne les vois pas dépenser des milliards pour venir ici, sur Terre.

* * *

— Pourquoi as-tu de la ouate dans les oreilles? As-tu une infection?

— Non, monsieur, mais vous m'avez dit que tout ce que vous me disiez rentrait par une oreille et sortait par l'autre. Alors, j'essaie de l'empêcher de sortir.

* * *

— Papa, si je plante ce noyau dans le jardin, est-ce qu'il va pousser un oranger?

— C'est possible, fiston.

— C'est curieux... c'est un pépin de citron.

* * *

— Pourquoi as-tu des notes aussi basses en classe, Marc?

— Parce que je suis assis en arrière, papa.

— Je ne vois pas ce que cela a à voir avec tes notes...

— On est si nombreux que, lorsque c'est à mon tour d'avoir des points, il n'en reste jamais.

* * *

— Lorsque j'étais à la plage, l'an dernier, un crabe m'a mordu un orteil.

— Lequel?

— Je ne sais pas, je trouve qu'ils se ressemblent tous.

* * *

— Qui est entré dans la cage aux lions et en est ressorti vivant?

— Daniel.

— Qui est entré dans la cage aux tigres et en est ressorti vivant?

— Je ne sais pas!

— Le tigre.

* * *

— Est-ce que je peux aller nager, maman?

— Non, il y a des requins.

— Mais papa y va bien, lui.

— Il est assuré.

* * *

— Mon chien peut sauter à une hauteur de trois mètres.

— Ce n'est rien. Mon chien peut sauter aussi haut que notre maison.

— Je ne te crois pas.

— C'est pourtant vrai. Notre maison ne saute pas bien haut, tu sais.

* * *

— Maman, j'ai pêché une truite de 60 cm de longueur.

— Vraiment? Où est-elle?

— Comme la poêle ne mesurait que 45 cm, je l'ai rejetée à l'eau.

* * *

— Maman, crois-tu que le bébé aimerait manger un peu de papier buvard?

— Non, mon chéri, pourquoi me demandes-tu cela?

— Parce qu'il vient juste d'avaler une bouteille d'encre.

* * *

C'est l'heure de partir à l'école. Jules traîne interminablement.

— Qu'est-ce que tu fais? lui demande sa mère.

— Je cherche mon sac d'école, répond Jules.

— Il est là, lui dit sa mère en lui tendant son sac d'école.

— Oh, s'il te plaît, maman, fait-il, laisse-moi le chercher encore un peu!

* * *

Un homme vient à peine de s'asseoir sur la chaise du dentiste qu'il se met à hurler.

— Je ne vous ai même pas encore touché, fait remarquer le dentiste.

— Je le sais, répond l'homme, mais vous me marchez sur le pied.

* * *

— Ma femme est un ange!
— Vraiment? La mienne est encore vivante.

* * *

— Ma femme de ménage est une vraie perle, raconte Lulu à son amie. Elle est tellement honnête que rien n'a disparu depuis qu'elle travaille chez moi. Pas même un grain de poussière.

* * *

Jean-Charles essaie désespérément de faire son devoir de physique.
— Papa, demande-t-il à son père qui est dans la salle de bains, qu'est-ce qui arrive quand un corps est plongé dans l'eau?
— Eh bien, lui crie son père à travers la porte, c'est à ce moment-là que le téléphone sonne...

* * *

Un professeur de physique demande à ses élèves :
— Qu'est-ce que le xénon?
— C'est un gaz dans l'atmosphère, répond l'un d'eux. Mais on le trouve en si petite quantité que ça ne vaut pas la peine d'en parler.

* * *

C'est normal que la mer ne déborde pas... ce n'est pas pour rien qu'il y a des éponges dedans!

* * *

Un visiteur entre dans une roulotte d'un cirque. Un type mesurant près de trois mètres est allongé sur un lit.

— Je cherche le nain, dit le visiteur.

— C'est moi, répond l'homme couché.

— C'est vous?

— Ben quoi? On ne peut plus se détendre un peu, maintenant?

* * *

— Je pense que notre fils sera astronaute.

— Qu'est-ce qui te fait dire ça?

— Son professeur m'a dit qu'il était toujours dans la Lune.

* * *

Deux petits Inuit sont assis sur la banquise à côté d'une baleine. Ils en ont déjà mangé un bon quart. Le premier se tourne vers l'autre et lui dit, la bouche pleine :

— Les baleines, c'est comme les arachides, quand on commence, on peut plus s'arrêter.

* * *

Deux fous vont chercher pics et pelles et creusent un grand trou.

— Ce trou est vraiment très beau, déclare l'un d'eux. Nous devons l'emporter.

Ils vont chercher un camion et chargent le trou à l'arrière.

Ils ont à peine parcouru quelques mètres que l'un d'eux s'écrie :

— Arrête! je crois que nous avons perdu le trou.

Le fou fait marche arrière et comme il a mal regardé, il tombe dans le trou.

* * *

Des bombes atomiques explosent, la Terre est presque entièrement anéantie. Au fin fond de la jungle, un singe et une guenon se regardent, découragés.

— Alors, demande le singe, on recommence ou ça n'en vaut pas la peine?

* * *

Un homme se précipite chez une de ses amies.
— Dépêche-toi, Arnaud vient de passer sous un rouleau compresseur.
La femme arrive hors d'haleine à l'hôpital et demande à la réception où est son mari.
— Chambres 10, 11 et 12, lui répond la réceptionniste.

* * *

Sur une petite route de campagne, deux crapauds sortent d'un fossé et s'apprêtent à traverser la route. Soudain, l'un d'eux crie à l'autre :
— Attention au rouleau comprrrrrrrrrrrrrr

* * *

— Étienne, pourquoi n'écris-tu pas?
— J'as pas de crayon, monsieur.
— On ne dit pas j'as pas de crayon, mais bien je

n'ai pas de crayon, tu n'as pas de crayon, il n'a pas de crayon, nous n'avons pas de crayons, vous n'avez pas de crayons, ils n'ont pas de crayons.

— Ben alors, s'exclame Étienne, qui est-ce qui a volé tous les crayons?

* * *

Un agent d'assurances essaie de convaincre une dame de lui acheter une assurance-vie.

— Et si vous perdiez votre mari, lui dit-il, qu'auriez-vous?

— Oh! je crois que je choisirais un labrador. Ils sont de bonne compagnie.

* * *

— Je me suis acheté une montre surprise pour seulement 2 \$.

— Qu'est-ce que c'est, une montre surprise?

— Chaque fois que je la regarde, je me demande si elle va encore fonctionner.

* * *

Connais-tu l'histoire de la vitre sale?
Tu ne verrais pas à travers.

* * *

Que dit une balance parlante quand une grosse dame monte dessus?
— Une à la fois, s'il vous plaît.

* * *

Quelle sorte de poissons les chiens chassent-ils?
Les poissons-chats.

* * *

— J'ai demandé du pain avec mon dîner.
— Il est dans la saucisse, monsieur.

* * *

Connais-tu le dénouement de l'histoire du lit?
Il n'a pas encore été fait.

* * *

L'inspecteur :
— Personne n'a de questions à me poser?
Un élève :
— Quand partez-vous?

* * *

Qu'est-ce qui a deux jambes et ne peut marcher?
Un pantalon.

* * *

Un père rentre chez lui le soir et trouve son petit garçon assis sur le dos du chat, un papier et un crayon à la main.

— Pourquoi es-tu assis sur le chat? lui demande-t-il.

— Le professeur nous a dit de rédiger un essai sur notre animal domestique, répond le jeune.

* * *

Connais-tu l'histoire du moine chauve?

Il n'avait pas de cheveux, mais beaucoup de grâce.

* * *

Michel a de gros problèmes familiaux. Il décide d'en discuter avec son ami, Alain.

— Alors, lui demande-t-il, que ferais-tu si tu étais dans mes souliers?

— La première chose que je ferais, lui répond son ami, c'est de faire nettoyer tes souliers.

* * *

Patrice arrive à Montréal pour la première fois. Il va dans un édifice à bureaux et demande au garçon d'ascenseur de le conduire au vingtième étage.

— Je ne peux pas, dit le garçon d'ascenseur, il n'y a que dix étages.

— Alors, faites-moi faire deux voyages! demande Patrice.

* * *

Pendant une classe d'entraînement, l'instructeur dit à un de ses élèves :

— Bernard, tu es sur une planète déserte, face à l'étoile polaire. Qu'est-ce que tu trouveras à ta droite?

— L'est, monsieur.

— Bien, et à ta gauche?

— L'ouest, monsieur.

— Exact! Et dans ton dos?

— Euh... ma bombonne d'oxygène. Du moins, je l'espère.

* * *

— Pouvez-vous faire jouer la musique un peu plus longtemps?
— Je suis désolé, mais ce n'est pas une bande en caoutchouc.

* * *

— Pour quelle raison as-tu gagné la petite médaille?
— Pour chanter.
— Et la grosse?
— Pour arrêter de chanter.

* * *

Le client :
— Et ça, Monsieur, vous allez me dire que c'est une de ces choses hideuses que vous appelez de l'art moderne?
Le vendeur :
— Mais non, mon cher Monsieur, c'est tout simplement un miroir.

* * *

— Maman, maman, s'écrie un petit garçon en rentrant de l'école. Je sais compter sur mes doigts.

— Ah oui! montre-moi, répond fièrement sa mère.

— Regarde, lui dit son fils, un doigt, un doigt, un doigt, un doigt et encore un doigt.

* * *

— Garçon, cette viande est avariée.

— Qui vous l'a dit?

— Un petit ver.

* * *

— Je n'ai pas demandé d'accordeur de piano, fait remarquer la dame de maison, surprise.

— Non, répond l'accordeur, mais les voisins l'ont fait.

* * *

En plein milieu du Sahara, un bédouin demande à un de ses amis :

— Alors, tu l'as eu ton permis?

— Non, répond l'ami. L'examinateur m'a fait passer par le parcours le plus difficile. Tu sais, celui où il y a un palmier.

* * *

Une jeune femme passe son permis de conduire.

— Ne soyez pas trop dur avec moi, dit-elle à l'examinateur. Je n'ai pas besoin d'un permis entier. Je veux juste pouvoir utiliser ma voiture pour conduire les enfants à l'école, le matin.

* * *

Un professeur est fort critiqué sur la façon dont il corrige.

— Ce n'est pas compliqué, explique-t-il. Je donne 70 quand le travail est très bien; 80 quand il est excellent; 90 quand l'élève me dit tout ce que je sais et 100 s'il m'apprend quelque chose.

* * *

Un employé d'une société d'aviation demande à un client :

— C'est vous qui voulez aller à Paris par le vol hyperéconomique?

— C'est bien moi, répond le monsieur.

— Alors tendez les bras pour que je puisse vous fixer vos ailes et vous pourrez prendre votre envol.

* * *

Il pleut à boire debout. Un petit garçon se promène avec son père.

— Dis, papa, lui demande-t-il, pourquoi tu ne marches pas dans les flaques, toi? Pourtant, tu n'as personne sur le dos pour te l'interdire.

***

— Si je n'avais pas été dans les buts, on aurait perdu 20 à 0.
— Oh! alors quel est le pointage?
— 19 à 0.

***

L'Écosse est réputée pour ses châteaux hantés. Un guide raconte que, dix ans plus tôt, ils ont connu un hiver tellement glacial que, cette année-là, tous les fantômes avaient changé leurs draps contre des couvertures chauffantes.

***

Les premières gouttes du déluge commencent à tomber. Noé se tient au bout de la passerelle menant à l'arche. Soudain, il s'écrie :

— Ça y est, la tortue vient d'arriver. Il ne manque que le lièvre.

* * *

Un petit garçon fait l'épicerie avec sa mère.

— Comme les sardines peuvent être bêtes! s'écrie-t-il soudain.

— Pourquoi dis-tu cela? lui demande sa mère.

— Elles se précipitent pour s'entasser dans des boîtes en fer blanc et elles referment la porte derrière elles en laissant la clé à l'extérieur.

* * *

Un jeune homme discute avec son père.

— J'aimerais devenir oto-rhino-laryngologiste, explique-t-il.

— En tout cas, lui dit son père, je te conseille de devenir plutôt dentiste si tu veux faire fortune.

— Pourquoi donc? demande le fils.

— Mais réfléchis un peu, lui répond son père. Tes futurs clients n'ont chacun qu'une gorge et deux oreilles, mais ils ont 32 dents.

* * *

Une mère demande à son fils :

— Si je te donnais 10 $ pour t'acheter un repas

65

bien équilibré, qu'est-ce que tu achèterais?

— Euh... répond le fils, une crème glacée au chocolat, une à l'érable, une aux fraises, du chocolat, un morceau de gâteau au fromage, des bonbons...

Devant l'air désapprobateur de sa mère, le garçon s'empresse d'ajouter :

— Oh, et une carotte, bien sûr!

* * *

Un professeur d'histoire explique à ses élèves :

— Seule l'obésité pourra arrêter les guerres. Quand plus personne ne pourra s'asseoir aux commandes d'un bombardier ou entrer dans un sous-marin atomique parce qu'il a un trop gros ventre, alors la paix sera en bonne voie.

* * *

Antoine fête ses sept ans. Son oncle et sa tante l'invitent au restaurant.

— Que veux-tu prendre? lui demande sa tante.

— N'importe quoi, répond Antoine, dont maman dirait, si elle était ici, dirait que ce n'est pas bon pour moi.

* * *

Ronald va cueillir des champignons. Il s'aventure dans un champ. Le taureau de l'endroit, furieux, le poursuit, le jette à terre et le piétine.

— Ah! s'écrie Ronald. Quelle ingratitude. Quand je pense que, pendant toute ma vie de végétarien, j'ai remplacé le bifteck par des carottes râpées.

* * *

Une centenaire va voir son médecin.

— Voyez-vous, lui confie-t-elle, le secret de ma longévité, c'est que j'ai toujours pris un seul repas par jour.

— Chut! fait le médecin. Ne dites surtout pas ça à tout le monde, vous nous feriez perdre les trois quarts de nos clients.

* * *

Un professeur dit à son élève qui semble avoir de la difficulté:

— J'ai l'impression que ma question vous embarrasse.

— Ce n'est pas tellement votre question, répond l'élève. C'est plutôt la réponse qui m'embarrasse.

* * *

Comment se lave un astronaute?

Il prend des douches de météores.

* * *

Un enfant terrible ouvre au maximum les robinets de la salle de bains.

— Voyons, dit-il en relisant l'énoncé de son problème, si une baignoire qui contient 600 litres d'eau se remplit à raison de 50 litres à la minute et si je laisse les robinets ouverts pendant 30 minutes, combien de temps faudra-t-il avant que le locataire du dessous monte en furie parce que son appartement est complètement inondé?

* * *

Si on envoie un message dans l'espace, comment savoir s'il s'y rend vraiment.

C'est facile. Il n'y a qu'à préciser que c'est contre remboursement. On verra bien si quelqu'un accepte de payer.

* * *

Un monsieur s'arrête à une poissonnerie comme le lui a demandé sa femme.

— Avez-vous des homards? demande-t-il à la poissonnière?

— Celui-ci est superbe, fait la dame en lui montrant un homard.

En voyant la teinte verte du crustacé, le monsieur s'écrie :

— Vous n'en auriez pas un un peu plus mûr, par hasard?

* * *

Un père arrive furieux devant le directeur d'école.

— Pourquoi mon fils n'a pas passé son année?

— Nous lui avons fait passer un test de logique, explique le directeur, et il n'a obtenu que 20 sur 100.

— Je ne vois rien de grave là-dedans, réplique le père.

— Je vous ferai remarquer qu'au zoo de Granby, nous faisons passer ce test à des chimpanzés. Ils obtiennent généralement 25 de moyenne.

* * *

— Docteur, docteur, mon ami se prend pour un ascenseur.

— Il faut me l'amener, voyons.

— J'ai bien essayé, mais son ascenseur ne s'arrête pas à votre étage.

* * *

Un fou grimpe sur une chaise devant un lavabo et dit à un autre fou :

— Regarde bien ça, je vais plonger.

— Mais il n'y a pas assez d'eau pour que tu plonges, lui fait remarquer son ami.

— Je le sais, répond le premier fou. C'est pour ça aussi que je vais plonger à côté.

* * *

Un adolescent à un directeur de cirque :

— C'est vrai que vous avez engagé un nain vraiment très très petit?

— Il est si petit, répond le directeur, que, lorsqu'il a mal aux pieds, il croit qu'il a une migraine.

* * *

Un joueur de golf est au désespoir.

— J'ai perdu ma balle, pleurniche-t-il.

— Comment était-elle? lui demande un jeune.

— Oh! toute neuve, lui répond le joueur. Ça fait trois mois que je m'entraîne tous les matins, et je ne l'avais pas frappée une fois.

* * *

Virginie à Hervé :
— Tu es allé au concert, hier soir?
— Oui, et quelle soirée!
— Pourquoi dis-tu cela?
— Figure-toi qu'il y avait tellement de monde que le chef d'orchestre est resté debout durant toute la soirée.

* * *

— C'est vrai que l'homme descend du singe.

— Oui, pourquoi? Tu as des doutes?

— Non, mais j'aimerais bien connaître quel est le premier homme qui s'est aperçu qu'il n'était pas un singe.

* * *

— Pouvez-vous me dire à quelle heure part le train de neuf heures trente-cinq?

— À dix heures moins vingt-cinq.

* * *

Une jeune fille cherche un cadeau pour offrir à son amoureux.

— Et si tu lui offrais une montre? lui suggère son amie.

— Il en a déjà une!

— Un beau stylo?

— Il en a déjà un!

— Un parapluie?

— Il en a déjà un!

— Un livre?

— Il en a déjà un!

* * *

— Vincent, tu sais où est la Barbade?

— Je n'en sais rien! Tu n'as qu'à ranger tes

affaires, aussi.

* * *

Un illusionniste raconte son passé.
— Mon numéro était formidable. Je sciais mon amie en deux. Ensuite, elle m'a quitté...
— Et où demeure-t-elle, maintenant?
— À Québec et à Montréal.

* * *

C'est une coutume, dans les prisons, de respecter la dernière volonté d'un condamné.
— Je voudrais apprendre le chinois, demande ce dernier.

* * *

Véronique explique à son nouveau petit ami qui est complètement chauve :
— Maman m'a dit : «Si tu l'aimes, n'hésite pas à prendre la chance par les cheveux.»

* * *

Dans un restaurant, la serveuse explique à son client :
— Le spécial du chef n'est jamais le même, mon-

sieur. Tout dépend des restes de la veille.

* * *

Deux fous traversent l'Atlantique. Ils sont sur le pont du bateau.

— Regarde toute cette eau, dit l'un d'eux. Il y en a beaucoup!

— Oui, répond l'autre, et tu ne vois pas toute celle qu'il y a en dessous!

* * *

Un voleur au visage masqué entre dans une banque, revolver au poing.

— Vite, je veux tout l'argent, et ça presse. Je suis mal garé et je ne veux pas avoir une contravention.

* * *

— Les gens ont de plus en plus l'esprit religieux, explique un curé à un de ses paroissiens. Regardez, maintenant, quand ils viennent à l'église, ils commencent à prier bien avant la cérémonie... en espérant trouver une place pour garer leur voiture.

* * *

Deux chiens regardent d'un air dégoûté des ouvriers qui installent des parcomètres le long d'un trottoir.

— S'ils veulent nous faire payer pour ça, s'exclame l'un d'eux, moi je ne leur donnerai pas un sou.

* * *

Une mère de famille demande à son médecin de famille :

— À quoi reconnaît-on qu'un garçon est devenu homme?

— C'est très facile, répond le médecin. Dès que l'enfant, lorsqu'il arrive devant une flaque de boue, préfère la contourner soigneusement que de sauter dedans à pieds joints.

* * *

— Quand je pense qu'il donne une contravention à cet automobiliste après tout le mal qu'il s'est donné pour se stationner, soupire un passant. Il devrait plutôt lui donner un trophée.

* * *

Un cannibale rentre chez lui. Sa mère prépare la cuisine.

— Oh! ça sent bon, maman, dit-il. Qui est-ce?

* * *

Un chef d'entreprise explique à ses employés :

— Vous comprenez, de nos jours, l'ordinateur peut faire n'importe quoi sauf, bien entendu, penser. C'est en quoi il a un petit côté tellement humain.

* * *

Dans un laboratoire de recherche, le chef de service entre tout bouleversé.

— La calculatrice électronique vient de tomber en panne. Quelqu'un se rappelle-t-il comment compter?

* * *

Un reporter demande à un voyageur quelle a été sa plus grande émotion lors de son voyage autour du monde.

— Sans aucune doute, répond le voyageur, le jour où j'ai été fait prisonnier par des cannibales en visitant les îles Sandwich.

* * *

— Papa, demande un enfant à son père, qu'est-ce que c'est un patron?

— Eh bien! répond son père, un patron, c'est ce genre de personne qui te pose une question, qui répond à ta place et qui t'accuse de ne pas avoir réfléchi avant de parler.

* * *

Des parents se plaignent de leur fils qui est insupportable.

— Vous devriez lui acheter une bicyclette, leur suggère un ami.

— Tu crois vraiment qu'avec une bicyclette il fera moins de bêtises?

— Non, mais au moins, il pourra aller les faire ailleurs.

* * *

Une mère de famille explique au pédiatre que son fils est un véritable démon.

— J'aimerais bien le voir, lui répond le pédiatre.

— Attendez, répond la mère. Il est dans la salle d'attente. J'ouvre la cage et je vous l'envoie.

* * *

Un jeune homme va voir son médecin. Il a le visage couvert de plaques rouges.

— C'est grave, docteur? demande-t-il en voyant le médecin faire la grimace.

— C'est surtout qu'avec un tel visage, répond le médecin, vous devriez porter une cravate à pois. Cette cravate à rayures ne convient pas du tout.

* * *

Une mère de famille sursaute en entendant sa fille, qui est au téléphone depuis déjà plus d'une heure, dire à la personne à l'autre bout du fil :

— Maintenant, si tu as trois heures, je pourrais tout te raconter dans les moindres détails.

* * *

Un scaphandrier vient de terminer son travail au fond de la mer. Il appelle le bateau pour qu'on le remonte. Un jeune farceur lui répond :

— Il n'y a plus d'abonné au numéro que vous avez demandé... Il n'y a plus d'abonné au numéro que...

* * *

Une mère demande à son fils :
— Ta soeur a téléphoné il y a combien de temps?
Le fils, écrasé devant la télévision, regarde autour de lui :
— Euh... une banane, un verre de lait, un sac de croustilles et deux paquets d'arachides.

* * *

— Doucement, s'écrie le petit chaperon rouge au grand méchant loup qui s'apprête à le questionner. Je te préviens que tu vas avoir des ennuis si tu manges ma grand-mère; c'est une espèce en voie d'extinction.

* * *

Deux amis se promènent dans la rue.
— Vite, traversons, dit l'un d'eux.
— Pourquoi? demande l'autre.
— Pierre arrive et je lui dois 50 $.
— T'en fais pas, lui répond Olivier, il aura traversé bien avant nous. Il m'en doit 100.

* * *

Un clown décide d'aller voir une chiromancienne :
— Vous tombez bien, lui dit-elle en regardant sa main. J'avais justement envie de lire quelque chose d'amusant avant de me coucher.

* * *

— Mon horoscope m'avait annoncé que j'aurais un grand choc en rencontrant quelqu'un qui portait un uniforme dit une jeune dame.

— Et c'est arrivé?
— Et comment! J'ai écrasé le portier.

* * *

Lorsque l'arche de Noé flotte avec, à son bord, les animaux réunis par couple, les requins vont trouver les poissons-scies.

— Vous faites un grand trou dans la coque du bateau, leur suggèrent-ils. Dès que le bateau aura coulé, nous, les poissons, nous serons les maîtres du monde.

* * *

— J'aimerais pas du tout être une girafe, confie un petit garçon à sa mère.

— Pourquoi? lui demande celle-ci.

— Ça me ferait un bien trop long cou à laver chaque matin, soupire le garçon.

* * *

Un hérisson marche dans le désert la nuit. Il heurte un cactus.

— Oh! mademoiselle, s'exclame-t-il, vous avez la peau tellement douce.

* * *

Le vétérinaire tient un lance-pierres et dit au gardien du zoo :

— J'ai besoin de votre aide. Je ne vous demande qu'une toute petite chose. Chatouillez l'hippopotame sous le ventre pour le faire rire à gorge déployée. J'en profiterai pour lui envoyer ses médicaments.

* * *

Le chef d'une tribu de cannibales montre à un voyageur son nouveau congélateur.

— Et qu'est-ce qu'il y a dedans? demande le voyageur.

— Les deux livreurs qui l'ont apporté.

* * *

Un pêcheur regarde tout surpris un poisson de toutes les couleurs qui frétille au bout de sa ligne. Un autre poisson sort sa tête de l'eau :

— Soyez gentil, monsieur, relâchez-le. Nous organisons une fête et vous avez pêché notre clown.

* * *

Deux pédiatres discutent :

— Une des choses les plus faciles lorsqu'on est bébé, dit l'un d'eux, c'est d'apprendre à parler.

— Et l'une des plus difficiles, voire impossible, répond l'autre, c'est d'apprendre à se taire quand on est grand.

* * *

82

— Est-ce que ton chien a un pedigree? demande Jules à son ami Antoine.

— C'est quoi, ça? s'inquiète Antoine.

— Tu sais, une sorte d'arbre généalogique.

— Ben non! Mon chien n'en a pas besoin. Il se contente du premier arbre qu'il rencontre quand je le promène.

* * *

Un nouvel abonné du téléphone appelle la téléphoniste.

— Mademoiselle, lui dit-il, le fil de mon téléphone est trop long. Vous ne pourriez pas le tirer un peu de votre côté?

* * *

Un chauve demande au pharmacien un produit pour la repousse des cheveux.

— Un petit ou un grand flacon? lui demande le pharmacien.

— Un petit, répond le client. Je veux juste avoir les cheveux en brosse.

* * *

Un dentiste examine la dent de son client.

— Elle est morte, déclare-t-il. Il va falloir une couronne. Ce sera 500 $.

— Inutile, docteur, répond le client. Je vais l'enterrer sans cérémonie.

* * *

Dans un restaurant.

— Oh non! mon châteaubriand est tombé par terre.

— Ne vous inquiétez pas, monsieur, répond le garçon, personne ne vous le prendra, j'ai le pied dessus.

* * *

— Tu as passé de belles vacances?

— Oui, en un mois, il n'a plu que trois fois.

— Quelle chance!

— La première fois, il a plu toute une journée, la deuxième, quatre jours et la troisième, trois semaines.

* * *

— Docteur, docteur, je n'arrive pas à dormir.

— Ce n'est rien, mon ami, après une bonne nuit de repos, vous verrez, tout ira mieux.

* * *

Un concierge pleure son chien qui l'a quitté.

Une voisine essaie de le réconforter.

— Mais il n'est pas mort, renifle le concierge. Il est parti en Grèce.

— Mais pourquoi donc? demande la voisine.

— Un idiot lui a raconté que, là-bas, tout se termine en os.

* * *

Un secrétaire se précipite dans le bureau de son patron.

— Monsieur, tous les ordinateurs se sont mis en grève!

— Pourquoi donc? demande le directeur.

— Ils exigent une vérification complète tous les mois et un graissage tous les trois mois.

* * *

Si un fermier est dans un champ avec son chien de garde et quarante moutons, combien de pieds auront-ils à eux tous?

Deux. Le fermier est le seul à avoir des pieds.

* * *

Les rayons X doivent leur nom à leur inventeur qui voulait rester anonyme.

* * *

Un chasseur rentre bredouille de la chasse au lièvre.

— Tu comprends, explique-t-il à sa femme, les lièvres couraient en zigzag. Chaque fois que je tirais dans le zig, ils couraient dans le zag.

* * *

— Monsieur, dit une secrétaire à son patron, je crois qu'un de vos amis vous demande au téléphone.

— Vous croyez... Vous ne pouvez pas être un peu plus certaine de ce que vous avancez?

— Il faudrait pour cela qu'il ait été plus explicite. Il m'a juste dit : «Allô, c'est toi vieille nouille?»

* * *

Regarde
à la page
suivante.
Nous te
proposons
un concours
amusant.

CONCOURS

Tu dois connaître, toi aussi, de courtes histoires drôles. Alors, pourquoi ne pas nous en faire parvenir quelques-unes.

Parmi celles reçues, certaines seront retenues pour publication et l'auteur(e) recevra une ou plusieurs surprises selon le nombre d'histoires sélectionnées.

Participe le plus vite possible et envoie tes histoires drôles à :

CONCOURS HISTOIRES DRÔLES
Les Éditions Héritage inc.
300, avenue Arran
Saint-Lambert (Québec)
J4R 1K5

Nous avons hâte de te lire!

À très bientôt donc!

Voilà c'est tout! Mais tu trouveras d'autres histoires drôles dans la même collection en vente prochainement.

ACHEVÉ   D'IMPRIMER
EN   JUILLET   **1992**
SUR LES PRESSES DE
PAYETTE & SIMMS INC.
À SAINT-LAMBERT, P.Q.